Edition Schott

Paul Hindemith

1895 – 1963

Sonate

für Bratsche allein
for Viola solo

opus 11/5

ED 1968
ISMN 979-0-001-03516-3

www.schott-music.com

Mainz · London · Berlin · Madrid · New York · Paris · Prague · Tokyo · Toronto

Herrn Professor Dr. Karl Schmidt gewidmet

Sonate für Bratsche allein

I

Paul Hindemith, op. 11 Nr. 5

(1919)

langsam beginnen, aber beschleunigen und stärker werden
f
pp
Im Hauptzeitmaß
ff
p
gehalten
fp
f
fp
f
p
gehalten
cresc.
poco accel.
f
p
f
p
f
p
f
p
gehalten
f
vorwärts
ff

acceler.
fff
lang

II

Mäßig schnell, mit viel Wärme vortragen
p
mp
p
f
mf
pp
f
mf
pp
poco rit.
f
pp
pp
ppp
pp
mf
p
ritard.
frei
pp
cresc.
acceler.
acceler.
f
p
molto
f
mf
pp
f
mf
pp
cresc.

poco a poco accel.
Lebhaft
cresc.
leise werden und sehr beruhigen
Langsam
pp cresc. molto
gehalten
III
Scherzo
Schnell
ein wenig halten
poco gliss.
a tempo
ein wenig halten
a tempo
poco gliss.
cresc.
dim.
ein wenig halten
a tempo
pp langsam
gliss.
a tempo

viel langsamer, gesangvoll
pp
cresc.
mf
pp
p
mf nicht einhalten
ein wenig eilen
f
poco riten.
wieder ruhig
pp
allmählich in das Anfangszeitmaß zurück gehen
p
mf
acceler.
wie am Anfang
f
ff
cresc. molto

sehr lebhaft
ff

dim. poco a poco
mf
pp
ff

IV
In Form und Zeitmass einer Passacaglia

pp
pp
cresc.
mf
cresc.
f
cresc.
Lebhaft
ff
sempre dim.
einleitend
f
p
ff

Sehr beruhigen und stets ab-

nehmen

ritenuto

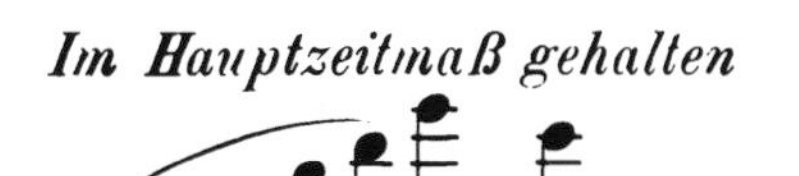
Im Hauptzeitmaß gehalten

riten.

Viel langsamer

pp
mf
poco a poco cresc.
p
mf
f
poco riten.
ppp
- - a tempo vorwärts gehen
gehalten
f
p
Im Zeitmaß
f
ff
hinabstürzen
Sehr ruhig beginnen
ffp

poco a poco cresc.
allmählich lebhafter
mf
accelerando e molto cresc.
mf
cresc. e accel.
langsam beginnen u. sehr beschleunigen
ff
p
molto cresc.
Im Hauptzeitmaß
ff
einleiten
p
f
tr
ff sehr breit
nicht eilen
mit aller Kraft